D0811079

Caroline Boyer
Enseignante

Reliure

2 3 OCT 1991

Vianney Bélanger

UN
PRÉTENDANT
VALEUREUX

UN PRÉTENDANT VALEUREUX

Directrice de collection
Françoise Ligier

Révision
Michèle Drechou
Maïr Verthuy

Conception graphique
Meiko Bae

Illustrations intérieures
Bruno St-Aubin

Illustration de la couverture
Bruno St-Aubin

Mis en page sur ordinateur par
Mégatexte

© Copyright 1991
Éditions Hurtubise HMH, Ltée
7360, boulevard Newman
Ville LaSalle (Québec)
H8N 1X2
Canada

Téléphone (514) 364-0323

ISBN 2-89045-898-9

UN PRÉTENDANT VALEUREUX

Georges Ngal

BIBLIOTHÈQUE
J-Le Prévost
VILLE DE MONTRÉAL

RETIRÉ DE LA COLLECTION
DE LA
BIBLIOTHÈQUE DE LA VILLE DE MONTRÉAL

Collection Plus
dirigée par
Françoise Ligier

H520461

Georges NGAL

Né au Zaïre en 1933, Georges Ngal est romancier, critique et professeur.

Georges Ngal a beaucoup voyagé. Il a étudié en Suisse et en Angleterre puis il a enseigné en Belgique, aux États-Unis et au Canada. Il vit maintenant à Paris où il est professeur à l'université Paris X et directeur d'une collection chez un éditeur.

Georges Ngal est un homme savant, mais il sait avec beaucoup de simplicité raconter de belles histoires inspirées par son pays natal.

Parmi les livres qu'il a publiés, on trouve les titres suivants :

Aimé Césaire, un homme à la recherche d'une patrie, L'Errance, Poétique du roman africain, Encyclopédie de la littérature africaine, édition critique des grands auteurs africains en six volumes.

*L*e soleil tropical, toujours brûlant, est fidèle au rendez-vous. Dans la forêt, la lumière est étrange. La journée semble promise à des événements extraordinaires.

Le vieil homme s'est levé tôt, comme d'habitude, fatigué. L'insomnie se fait plus tenace de nuit en nuit. Mais ce jour-là n'est pas comme les autres. Un inconnu vient d'arriver. Le vieil homme le reçoit et le fait asseoir; ils sont rejoints aussitôt par la maîtresse de maison.

– Vous devez avoir soif et faim, dit-il.

– Oui, fait l'inconnu d'un signe de tête.

– L'hospitalité, c'est notre devoir; le bon accueil notre métier. Vous êtes donc chez vous!

– Je suis honoré par vos délicates attentions.

Le vieil homme lui donne à boire et à manger. Quand il a fini de manger, l'étranger s'essuie les mains, remet l'essuie-main et remercie l'hôtesse. Pendant tout ce temps, les trois filles de la maison sont encore en forêt où elles cherchent du bois. La ressemblance entre les trois sœurs est si forte qu'il est impossible de les distinguer l'une de l'autre. Elles sont même habillées de manière identique.

Au bout de quelques heures, elles reviennent à la maison avec des fagots sur la tête. Le soleil s'est couché. Toutes les poules viennent de regagner le poulailler. Les oiseaux nocturnes, toujours nombreux sous les tropiques, s'apprêtent à prendre le relais des symphonies tantôt lugubres tantôt joyeuses. Les trois jeunes filles rejoignent les parents assis autour du feu avec l'inconnu. Leur arrivée paraît surprendre agréablement l'étranger. Ses yeux ne quittent pas un instant les filles. Il pose le regard tour à tour sur chacune d'elles comme pour les dévisager. Il les explore, les scrute, les dévore des yeux. Leur beauté est si extraor-

Caroline Boyer
Enseignante

13

dinaire qu'il en boit l'éclat avec volupté. Il n'arrête pas de les fixer. Inquiets, les parents se disent: Ah! Pourquoi cet homme regarde-t-il ainsi nos enfants avec des yeux inquisiteurs? Aurait-il quelque mauvais dessein sur elles?

«Ah! tu es en train de regarder nos enfants? dit le père

– Oui, répond l'étranger. Elles sont d'une beauté angélique. Je voudrais savoir laquelle est l'aînée, laquelle est la deuxième et laquelle est la benjamine.

– Pourquoi veux-tu savoir cela?

– Elles sont si belles que je ne peux me fatiguer de les dévorer des yeux. Des anges seraient-ils descendus sur terre?

– Non, mes enfants sont de pauvres petites mortelles. Mais pourquoi veux-tu absolument les connaître? Aurais-tu envie de demander l'une d'elles en mariage?

– Oui, cela me ferait plaisir; j'ai fort envie de me marier avec l'une d'elles, si, bien sûr, vous y consentez.

– Écoute-moi bien, réplique le père. Je me suis toujours dit que celui qui voudra épouser l'une de mes filles ne me donnera rien: ni vin, ni poule, ni argent, mais il devra travailler pour moi.

– Oh, mon ami! Chez nous, quand on veut prendre femme, on commence d'abord par donner le vin, ensuite l'ebwe de son père et de sa mère, puis celui de toute la famille. En dernier lieu, on apporte le vin blanc, puis l'argent. Chez vous, ni vin, ni

argent! Comment peut-on alors
épouser quelqu'un?

– Par le travail seulement.

– Quel est alors ce travail?

– Avant d'arriver chez moi,
tu as dû traverser un marais?

– Oui, père.

– Eh bien, j'ai un jour perdu ma bague dans ce marais; tout prétendant d'une de mes filles doit me la retrouver. De plus, regarde ma cour! Elle est pleine de petites herbes. Je cherche quelqu'un pour la désherber, enlever toutes les racines. L'homme qui exécutera ces deux tâches aura la main d'une de mes filles.

– C'est ainsi? s'exclame l'étranger, perplexe, l'œil épiant les filles. Les conditions sont si exorbitantes que la conquête de vos filles appartient aux valeureux.

– Oui, étranger, mes filles épouseront des valeureux.

– Alors, j'accepte d'exécuter les travaux.

Les deux hommes se serrent la main en signe d'accord. L'étranger prend la parole et dit au propriétaire de la maison:

– Merci, ô père. Je suis étranger. Si je parviens à retrouver votre bague et à désherber complètement votre cour, j'épouserai l'une de vos filles.

Mais si vous me la refusez, votre maison sera détruite par la malédiction des dieux. Oui, donnez-moi une pelle.

– La voici, dit le père qui lui tend l'outil.

L'étranger déplace des tonnes et des tonnes de boue. Il travaille toute la journée. À la tombée de la nuit, il regagne le village, fatigué, grelottant de froid. Il s'assied près du feu. Le père se moque de lui: « Oh, il travaille pour rien, il ne retrouvera pas ma bague ». Le lendemain, le prétendant recommence. Des semaines passent. Des mois, des années s'écoulent. Toujours pas de bague. Elle reste introuvable.

Un beau jour, il enfonce la pelle et soulève la boue avec le même courage. Voici quelque chose de très rouge dans la pelletée! Il l'examine... Ah, si c'était la fameuse bague! se dit-il. Il s'exclame de joie: «Voici la bague; j'ai déjoué la ruse du père, une fille m'appartient!»

Il court vite vers le vieil homme et dit: «Père, voici votre bague.»

– Ah! C'est vrai? Tu l'as retrouvée?

– Oui, je vais vous la mon-
trer.

Il la lui montre.

– Oui, c'est bien ma bague; je
te bénis. Mais maintenant que
tu l'as retrouvée, il te reste
l'herbe à enlever.

L'étranger se dit: « Le labeur
le plus pénible était dans l'eau,
dans la boue. Quel autre travail,
pourrait me faire perdre une
femme? Je vais m'y mettre ».

Beaucoup de racines encombrent la cour. L'étranger se met à labourer. Il retourne la terre, extirpe les racines. Des mois s'écoulent. Il maigrit. Il n'a pas le temps de se tondre les cheveux. Mais il ne se décourage pas. Il travaille toujours. Enfin, il arrive au bout de ses peines :

– Père, j'ai fini le travail que vous aviez exigé de moi.

Ce dernier examine sa cour, prend la pelle, retourne la terre par-ci, par-là et ne voit plus une seule racine. Il dit à l'étranger :

– Fils, ta femme, tu la choisiras toi-même ; mais auparavant, tu dois reconnaître l'aînée de la deuxième et de la plus jeune. Si

tu n'y parviens pas, tu n'épouseras aucune de mes filles!

– Père, réplique le jeune homme, c'est encore une autre condition que vous m'imposez?

– Eh bien, oui, tu ne vas tout de même pas épouser trois femmes! Tu dois savoir laquelle est l'aînée, celle du milieu et la troisième; c'est alors seulement que je serai disposé à t'en donner une en mariage.

Le lendemain matin, le père s'en va chercher du vin de palme. En son absence, l'étranger voit arriver une jeune fille qui lui dit:

— Veux-tu te marier avec moi?

— Oui, bien sûr, répondit-il; mais comment te reconnaîtrai-je?

– Je suis l'aînée, répond la fille; la deuxième sera au milieu, entre la dernière et moi-même. Voici comment tu me reconnaîtras: je ferai couler un filet de salive sur mes lèvres; à ce signe tu sauras que c'est moi l'aînée. Mais si je fais cela, c'est pour que tu me choisisses moi et non une de mes sœurs.

– Oui, répond l'étranger.

Le lendemain, de grand matin, l'étranger revient vers le père:

– À quand mon mariage avec une de vos filles?

– Reviens demain, au petit jour, nous verrons.

Le lendemain matin, le jeune se présente à nouveau devant le père. Celui-ci pénètre dans la maison, il fait habiller et coiffer ses trois filles de la même façon.

– Voici mes enfants, dit le père à l'étranger. Devine qui est l'aînée, la seconde et la plus jeune.

Les trois filles défilent devant le jeune homme. Voyant que celui-ci risque de se tromper, l'aînée laisse couler jusqu'au menton une petite quantité de salive. Celle-ci brille comme l'or. «Oui, ce doit être l'aînée», se dit le jeune homme. Il dit au père:

– Père, voilà l'aînée; la deuxième est au milieu et la benjamine est à l'autre extrémité.

– Tu es intelligent, fils, réplique le père. Tu es l'homme qui va épouser mon aînée.

Il les marie et les fête; il demande à son beau-fils de rester dans le village avec sa femme et de ne jamais le quitter. Le jeune homme accepte d'habiter chez ses beaux-parents.

Mais un jour le jeune mari a terminé tout le travail difficile; il mène une vie calme et tranquille près de sa jeune épouse. Alors le père se dit: « Cet étranger ne sert plus à rien, il est vraiment encombrant; c'est une bouche de plus à nourrir. Je vais le tuer. » Il dit à sa fille:

– Te voilà une femme. Il faut nous débarrasser de cet étranger. Il devient un poids inutile ici. Je viendrai tuer ton mari au milieu de la nuit; mais tu devras tendre l'oreille. Quand tu entendras un léger coup à la porte, tu t'empresseras de sortir de la maison et, alors, je me glisserai à l'intérieur pour le tuer.

La femme ne dit mot et s'en retourne auprès de son mari.

Le soir même, elle apprend la nouvelle à son mari:

— Sais-tu que papa veut te tuer une nuit? Cette nuit même peut-être.

— Que vais-je faire? demande le mari.

— J'ai découvert le moyen de nous enfuir.

La jeune femme s'introduit dans le magasin de son père, prend trois cruches et les remplit de provisions. Elle détache ensuite deux chevaux, l'un pour elle, l'autre pour son mari. Au début de la nuit, le jeune couple s'évade. Les hiboux sont étonnamment bavards; leur complicité ainsi que le croassement des crapauds permettent au jeune couple de s'éloigner en toute quiétude.

Au milieu de la nuit, le père vient frapper à la porte... Personne ne répond. Il frappe encore plus fort. Personne! Quand il ouvre la porte, la pièce est vide. «Ah, ils se sont enfuis, les traîtres!» s'exclame-t-il. Il court à l'écurie et constate qu'il manque deux chevaux. Il remplit trois cruches de provisions et se met aussitôt à leur poursuite. Une course folle s'engage. L'avance prise par les deux jeunes ne le décourage pas. Il jette par terre une cruche qui explose. À l'instant, le jeune couple voit se dresser devant lui une haute montagne, infranchissable. La jeune femme saisit la première cruche et la brise. Aussitôt la montagne s'écroule.

Le chemin s'ouvre devant les jeunes gens. Devant le père, par contre, une montagne s'élève, incontournable. Il jette une deuxième cruche.

Aussitôt la montagne s'aplatit, et devant les jeunes gens une grande forêt vierge surgit instantanément. Les chevaux se mettent à hennir. La jeune épouse casse sa deuxième cruche, et la forêt disparaît. Devant le père, une grande forêt se dresse qui s'efface avec sa troisième cruche. La poursuite continue... âpre... intrépide... Les chevaux halètent de fatigue.

Voyant le père s'approcher dangereusement, les deux jeunes mariés écrasent leur troisième et dernière cruche. Une immense nappe d'eau s'étend devant eux. Ils sont changés en canards blancs ainsi que leurs chevaux. Le père ne désarme pas. Même s'il n'est pas capable de distinguer les mâles des femelles, il dégaine sa lance pour les tuer. Les canards s'envolent vers l'autre rive et échappent au danger. La nuit tombe et le père veille. Le lendemain matin, fatigué, il s'endort au bord de l'étang.

Les deux jeunes reprennent leur forme humaine et les chevaux leur forme animale.

Le couple se remet en route pour le village du mari. Ce dernier présente sa femme à sa famille qui organise une grande fête. Des roulements de tam-tam rythmant les pas de danse résonnent jusqu'aux oreilles du père.

Furieux, il monte sur son cheval mais le son des tam-tams se répercute de colline en colline. Le père galope toujours plus loin, incapable de localiser cette musique de fête. Il pense qu'il est devenu fou et que toute l'Afrique célèbre le bonheur de sa fille. Alors l'errance commence. Il meurt en brousse, miné par la solitude, la soif et la faim.

Des années passent. Le couple coule une vie tranquille. Rien ne perturbe son existence. Leur fils unique Kimbo a l'agilité de la gazelle. Ce soir il aura dix ans; tout le village dansera et chantera.

Dansons... dansons la danse de la vie.

Le plus de Plus

Réalisation : Danièle Issa-Sayegh
Françoise Ligier

Une idée de Jean-Bernard Jobin
et Alfred Ouellet

Pour faciliter la lisibilité du texte, le masculin a été employé pour désigner les personnes. Les lectrices et les lecteurs sont invités à en tenir compte au cours de la lecture.

AVANT DE LIRE

Un prétendant ?

Lis les deux petites histoires puis trouve le sens du mot prétendant.

La jeune reine de la planète Zébulus avait beaucoup de qualités ; elle était courageuse, intelligente et généreuse. De très nombreux prétendants souhaitaient un jour devenir son époux.

Paolo est un prétendant timide ; il aime Julia depuis très longtemps ; il souhaite en secret se marier avec elle ; il a décidé aujourd'hui de lui dire « je t'aime ».

Un prétendant c'est :

1. une personne qui veut explorer la planète Zébulus

2. un homme qui désire travailler fort

3. un homme qui désire épouser une femme

De la même famille

Relie les mots de la même famille.

adjectifs	noms
ex: courageux	aventure
joyeux	amour
dangereux	courage
amoureux	valeur
savoureux	saveur
valeureux	joie
aventureux	danger

Comprends-tu maintenant le titre du livre, *Un prétendant valeureux* ?

Les voyages de Monsieur Ngal

Monsieur Ngal, l'auteur d'*Un prétendant valeureux*, a beaucoup voyagé. Dans quels continents est-il allé ?

Il est né au **Zaïre** $\dfrac{\text{c'est en Amérique ?}}{\text{c'est en Afrique ?}}$; il a fait des études très savantes en **Suisse** $\dfrac{\text{c'est en Afrique ?}}{\text{c'est en Europe ?}}$; il a été professeur en **Belgique** $\dfrac{\text{c'est en Asie ?}}{\text{c'est en Europe ?}}$, au **Zaïre**, aux **États-Unis** $\dfrac{\text{c'est en Amérique ?}}{\text{c'est en Europe ?}}$ et au **Canada** $\dfrac{\text{c'est en Afrique ?}}{\text{c'est en Amérique ?}}$; il enseigne maintenant en **France** $\dfrac{\text{c'est en Europe ?}}{\text{c'est en Amérique ?}}$.

Sur la bonne piste

Suis la piste à partir du dessin et tu trouveras le nom des animaux du texte.

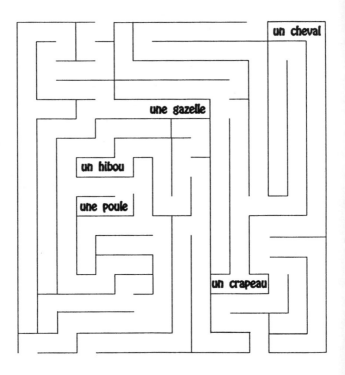

Le trésor

Suis la piste et tu découvriras le sens de quelques mots importants du texte.

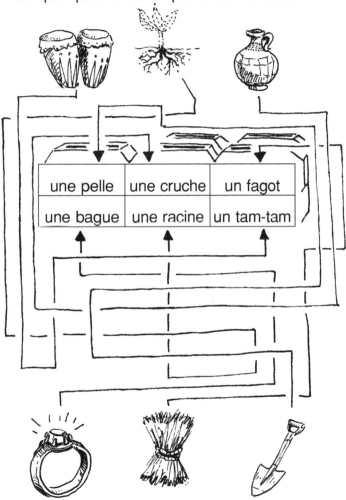

| une pelle | une cruche | un fagot |
| une bague | une racine | un tam-tam |

EST-CE QUE TU AS BIEN COMPRIS ?

Vrai ou faux ?

1. L'histoire se passe en Afrique.

2. Le père de famille a quatre filles.

3. L'étranger veut se marier.

4. Selon le vieil homme pour épouser une fille il faut donner de l'argent à ses parents.

5. Le prétendant valeureux épouse la plus âgée des filles.

6. La jeune fille est d'accord pour se marier.

7. Le vieil homme veut tuer le jeune mari parce qu'il est un mauvais mari.

8. Le jeune couple part à pied durant la nuit.

9. Le père meurt.

10. L'histoire finit dans la joie.

À la poursuite du prétendant valeureux et de son épouse

Règle du jeu :

Tu vas de la case 1 (départ) à la case 6 (arrivée). Dans chaque case il y a une difficulté ; si tu as la bonne réponse tu obtiens des points.

Résultats

Tu as entre 8 et 10 points : tu es valeureux.

Tu as entre 5 et 8 points : recommence tu auras plus de points.

Tu as moins de 5 points ; retourne au texte.

Le départ 1	

Le départ   1

Où est l'erreur ?

1. le jeune couple s'enfuit la nuit
2. le vieil homme est furieux parce que sa fille a volé 3 cruches

R = 1 point

Le 1ᵉʳ obstacle   2

Le premier obstacle est
1. une haute montagne
2. une rivière
3. un dragon

R = 1 point

Le 2ᵉ obstacle   3

Quel est le 2ᵉ obstacle ?

R = 2 points

Le 3ᵉ obstacle   4

Trouve le singulier
des canards blancs = un...
des chevaux = un...

R = 2 points

Vers une vie tranquille   5

Trouve le mot qui n'est pas dans le texte :
le village, le tam-tam, la danse, le bonheur, une colline, un volcan, la faim, la soif

R = 3 points

Kimbo   6

Quel âge a Kimbo à la fin de l'histoire ?

R = 1 point

Arrivée

Connais-tu le sens des mots ?

Les phrases sont coupées en deux morceaux ; attache les morceaux.

exemple : a. va avec __3__   c. va avec ____

b. va avec ____   d. va avec ____

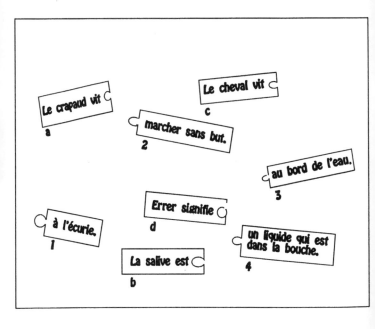

JEUX APRÈS LA LECTURE

Mots magiques

Huit mots magiques figurent dans cette grille. Retrouve-les et entoure-les.

provision – croassement – écurie – salive – épouse – bonheur – canard – errance

A	M	P	E	S	R	O	T	U	S	E
L	E	R	R	A	N	C	E	S	I	F
C	R	O	A	S	S	E	M	E	N	T
A	U	V	W	H	O	C	A	P	E	M
N	O	I	G	T	S	U	N	O	P	D
A	H	S	T	C	A	R	B	U	L	E
R	M	I	A	E	L	I	T	S	Y	T
D	S	O	K	T	I	E	L	E	T	N
O	A	N	N	E	V	U	F	H	E	S
I	F	C	O	T	E	O	R	T	Y	B
B	O	N	H	E	U	R	D	I	O	S

Des mots dans une cruche

On a mélangé les mots de trois phrases qui sont dans le texte. Retrouve ces phrases.

Mamadou habite Dakar

Consulte la carte d'Afrique pour compléter tes phrases.

1. Mamadou habite Dakar. Il vit au _____

   _____

2. Bèchir vient de Tunis. Il vient de _____

   _____

3. Bobakar est né près de Bamako. Il est né au _____

4. Fatima vit à Antananarivo. Elle habite à _____

Bonjour l'Afrique

Vérifie si tu es prêt à partir pour l'Afrique, continent du *Prétendant valeureux*. Trouve chaque fois l'erreur.

1. Voici quelques noms de pays d'Afrique :
   la Tunisie   le Maroc
   le Cameroun   le Canada

2. Voici quelques noms de fleuves d'Afrique :
   le Congo   le Nil
   le Zambèze   le Saint-Laurent

3. Voici quelques mers ou océans qui entourent l'Afrique :
   l'océan Pacifique   la mer Méditerranée
   l'océan Atlantique   l'océan Indien

4. Voici quelques langues parlées officiellement en Afrique :
   le français   l'arabe
   le ouolof   l'anglais   le chinois

5. Voici quelques villes d'Afrique :
   Dakar   Paris   Abidjan   Tunis

Les Solutions

Un prétendant

Un prétendant c'est : 3

De la même famille

courageux – courage ; joyeux – joie ;
dangereux – danger ; amoureux – amour
savoureux – saveur; valeureux – valeur
aventureux – aventure

Les voyages de Monsieur Ngal

Le Zaïre c'est en Afrique ; la Suisse c'est en Europe ;
la Belgique c'est en Europe ; les États-Unis c'est en
Amérique ; le Canada c'est en Amérique ; la France
c'est en Europe.

Sur la bonne piste

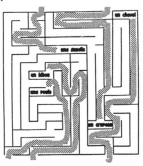

Est-ce que tu as bien compris ?

1. Vrai ; 2. Faux, il a 3 filles ; 3. Vrai ; 4. Faux, il faut
travailler pour son père ; 5. Vrai ; 6. Vrai ; 7. Faux,
parce qu'il ne sert plus à rien ; 8. Faux, à cheval ;
9. Vrai ; 10. Vrai

À la poursuite du prétendant valeureux

case 1 = 2 ; case 2 = 1 ; case 3 = 3 une grande forêt ; case 4 = un canard blanc, un cheval ; case 5 = un volcan ; case 6 = 10 ans

Connais-tu le sens des mots ?

a-3 ; b-4 ; c-1 ; d-2

Mots magiques

A	M	P	E	S	R	O	T	U	S	E
L	E	R	R	A	N	C	E	S	I	F
C	R	O	A	S	S	E	M	E	N	T
A	U	V	W	H	O	C	A	P	E	M
N	O	I	G	T	S	U	N	O	P	D
A	H	S	T	C	A	R	B	U	L	E
R	M	I	A	E	L	I	T	S	Y	T
D	S	O	K	T	I	E	L	E	T	N
O	A	N	N	E	V	U	F	H	E	S
I	F	C	O	T	E	O	R	T	Y	B
B	O	N	H	E	U	R	D	I	O	S

Des mots dans une cruche

1. Vous êtes chez vous !
2. Quel est ce travail ?
3. Des années passent.

Mamadou habite Dakar

1. au Sénégal ; 2. de Tunisie ; 3. au Mali ; 4. à Madagascar.

Bonjour l'Afrique

1. le Canada ; 2. le Saint-Laurent ; 3. l'océan Pacifique ; 4. le chinois ; 5. Paris.

Dans la même collection

70